What Happens When I Talk to God?

The Power of Prayer for Boys and Girls

By Stormie Omartian
Artwork by Shari Warren

¿Qué pasa cuando hablo con Dios?

El poder de la oración para niños y niñas

Por Stormie Omartian
Arte por Shari Warren

HARVEST HOUSE PUBLISHERS
EUGENE, OREGON

What Happens When I Talk to God?
Text copyright © 2007 by Stormie Omartian
Artwork copyright © 2007 by Shari Warren, courtesy of
Bentley Licensing Group

Design and production by Koechel Peterson & Associates

Back cover author photo © Michael Gomez / Gomez
Photography

Published by Harvest House Publishers
Eugene, OR 97402
www.harvesthousepublishers.com

ISBN 978-0-7369-7087-7

Printed in the United States of America

16 17 18 19 20 21 / QG / 10 9 8 7 6 5 4 3 2 1

This book has been made available without charge
by The 1687 Foundation, a nonprofit, tax-exempt
organization dedicated to advancing Christian and
charitable purposes. Please note that this book may only
be given away as a free gift. It may not be sold, used as
an encouragement for any charitable gifts, or provided for
any commercial or personal-gain purpose whatsoever.

For additional information, please contact
www.1687foundation.com
Tel: 541.549.7600
Fax: 541.549.7603

¿Qué pasa cuando hablo con Dios?
Texto derechos reservados © 2007 por Stormie Omartian
Arte derechos reservados © 2007 por Shari Warren, por
cortesía de Bentley Licensing Group

Diseño y producción por Koechel Peterson & Associates

Fotografía de la autora en la contracubierta © Michael
Gomez / Gomez Photography

Todas las obras de arte en este libro están bajo derecho
de autor de Shari Warren y autorizadas por Bentley
Licensing Group, Walnut Creek, California; no pueden
reproducirse sin permiso.

Publicado por Harvest House Publishers
Eugene, OR 97402
www.harvesthousepublishers.com

ISBN 978-0-7369-7087-7

Todos los derechos reservados. Ninguna porción de
este libro podrá ser reproducida, almacenada en ningún
sistema de recuperación, ni transmitida en ninguna forma
ni por ningún medio—electrónico, mecánico, digital,
fotocopias, grabación u otro—excepto por citas breves en
revistas impresas, sin la autorización previa por escrito de
la editorial.

It's never too soon
to teach a child to pray.
—STORMIE OMARTIAN

Nunca es muy temprano para
enseñarle a un niño a orar.
—STORMIE OMARTIAN

Talking to God is called prayer. God wants us to talk to Him all the time. That's why I try to talk to Him every day. Sunday, Monday, Tuesday, Wednesday, Thursday, Friday, Saturday— every day is the perfect day to pray!

God likes it when I talk to Him. That's because He loves me and wants to spend time with me. He likes to hear that I love Him too. So when I talk to God, I always tell Him how much I love Him. I say, "I love You, God."

Hablar con Dios se llama oración. Dios quiere que le hablemos en cada momento. Por eso intento hablarle cada día. Domingo, lunes, martes, miércoles, jueves, viernes, sábado: ¡cada día es perfecto para orar!

A Dios le gusta cuando le hablo. Eso es porque me ama y quiere pasar tiempo conmigo. Le gusta oír que yo también le amo. De modo que cuando hablo con Dios, siempre le digo lo mucho que le amo. Le digo: «Dios, te amo».

Every time I talk to God, I am getting to know Him better. God wants every single person to talk to Him and get to know Him. This is something I can do every day, wherever I am.

Another way I can get to know God is by reading my Bible or listening to Bible stories. God gave us His Word—the Bible—so we can learn more about Him. The Bible tells us how to pray and talk to God. I say, "Thank You, God, for the Bible!"

Cada vez que le hablo a Dios, logro conocerlo más. Dios quiere que toda persona le hable y le conozca. Esto es algo que puedo hacer cada día, dondequiera que me encuentre.

Otra forma de conocer mejor a Dios es leyendo mi Biblia o escuchando historias bíblicas. Dios nos dio su Palabra, la Biblia, para que pudiéramos conocer más de Él. La Biblia nos enseña cómo orar y hablarle a Dios. Le digo: «¡Gracias, Dios, por la Biblia!».

What Happens When I Talk to God?

The Bible says that God wants me to thank Him for all the good things in my life. Having a family who loves me and takes cares of me is definitely a good thing!

I can thank God for my mom and dad, brothers and sisters, grandparents and cousins—for everyone in my family! I can also thank God for my friends and for all the people who love me. I say, "Thank You, God, for everyone You have put in my life for me to love."

La Biblia dice que Dios quiere que le agradezca todo lo bueno en mi vida. ¡Definitivamente es algo bueno tener una familia que me ama y que cuida de mí!

Puedo darle las gracias a Dios por mi madre y mi padre, mis hermanos y mis hermanas, mis abuelos y mis primos... ¡por todos en mi familia! También le puedo agradecer por mis amigos y por todas las personas que me aman. Le digo: «Gracias, Señor, por todas las personas que me has dado para amar».

God wants us to thank Him for all the wonderful things He has given us. So I thank Him for the clear blue sky, soft green grass, and fluffy white clouds. I thank Him for the blowing wind, cool rain, and warm sunshine. I thank Him for big trees and colorful flowers, for high mountains and deep oceans—for everything God made!

I say, "Thank You, God, for giving me healthy food to eat and clean water to drink. Thank You for a warm place to live and a cozy bed to sleep in every night. Thank You for my favorite toys and places I can go to play."

Dios quiere que le agradezcamos todas las cosas maravillosas que nos ha dado. Por eso le doy las gracias por el cielo clarito y azul, por el pasto suave y verde, y por las brillantes nubes esponjosas. Le agradezco por el viento que sopla, por la lluvia fresca y por la cálida luz del sol. Le doy las gracias por los árboles grandes y las flores coloridas, por las montañas altas y por el profundo mar... ¡por todo lo que Dios creó!

Le digo: «Gracias, Señor, por darme comida sana para comer y agua fresca para beber. Gracias por un buen hogar donde vivir y una cama calientita donde dormir cada noche. Gracias por mis juguetes favoritos y los lugares donde voy para jugar».

What Happens When I Talk to God?

When I pray, I can't wait to thank God for all of the huggable, loveable creatures He has made. I also thank Him for creatures that might not make good pets but are still fun to look at and learn all about—like elephants, giraffes, bears, tigers, eagles, dolphins, and whales. Every animal on land, every fish in the water, and every bird in the sky is a special creation given to us by God.

I say, "Thank You, God, for dogs and cats, horses and rabbits, birds and hamsters—and all animals I can pet and love. Thank You for every wonderful animal You have made."

Cuando oro, anhelo agradecerle a Dios por todas las criaturas que ha hecho, las que son tan amorosas y que puedo abrazar. También le doy las gracias por las que quizás no sean buenas mascotas, pues de todos modos es fascinante observarlos y aprender acerca de ellos: elefantes, jirafas, osos, tigres, águilas, delfines y ballenas. Cada animal sobre la tierra, cada pez del agua y cada pájaro del cielo es una creación especial que Dios nos ha dado.

Le digo: «Gracias, Dios, por los perros y los gatos, por los caballos y los conejos, por los pájaros y los hámsteres, y por todos los animales a quienes puedo amar y dar cariño. Gracias por cada animal maravilloso que has creado».

What is a friend? A friend is someone who talks to you and cares about you. God wants me to talk to Him because He is my friend. And friends always talk to each other! You can't be friends with someone you never talk to. That's why talking to God every day is so important.

My favorite thing about talking to God is that I can talk to Him about anything. God wants me to tell Him about the things that matter to me. That's because anything I care about, He cares about too! Whatever is important to me is also important to God. I say, "Thank You, God, that You are my friend and I can tell You everything."

¿Qué es un amigo? Un amigo es alguien que te habla y a quien le interesas. Dios quiere que yo le hable porque es mi amigo. ¡Y los amigos siempre se están hablando! No puedes ser amigo de alguien con quien nunca te comunicas. Por eso es tan importante hablar con Dios cada día.

Lo que más me gusta acerca de hablarle a Dios es que le puedo platicar de todo. Dios quiere que le diga las cosas que son importantes para mí. Pues todo lo que «me preocupa a mí, ¡a Él le preocupa mucho!». Todo lo que me interesa, también le interesa a Él. Le digo: «Gracias, Señor, por ser mi amigo y porque te puedo decir cualquier cosa».

I can talk to God about good things, but I can talk to Him about bad things too. He wants to know when something makes me happy, and He also wants to know when something makes me sad. That way He can help me!

God always listens to me, and He always understands just how I feel. And I always feel better after I talk to God. I say, "Thank You, God, that I can talk to You about anything."

A Dios puedo contarle cosas buenas y también malas. Él quiere saber cuando algo me alegra y también cuando algo me entristece. ¡Así me puede ayudar!

Dios siempre me escucha y comprende exactamente cómo me siento. Y siempre me siento mejor luego de hablarle. Le digo: «Gracias, Señor, porque puedo hablar contigo acerca de todo».

God always hears me pray no matter where I am. I can talk to Him when I'm under the covers in bed, and He also listens to me when I'm soaking in the bathtub!

I can talk to God when I'm inside playing with my toys or when I'm outside playing ball. He hears me when I'm jumping, running, or walking, or even when I'm sitting somewhere eating ice cream! God hears me when I'm talking to Him standing up or kneeling down or lying in bed. I say, "Thank You, God, that You are always there for me."

No importa dónde esté, Dios siempre me oye orar. Le puedo hablar cuando estoy arropada en cama y también me escucha ¡cuando me baño!

Puedo hablar con Dios cuando estoy en casa jugando con mis juguetes, o afuera mientras juego a la pelota. Él me oye cuando estoy saltando, corriendo, caminando e inclusive ¡sentándome a comer un helado! Dios me oye cuando le hablo parada o arrodillada o acostada. Le digo: «Gracias, Dios, porque siempre estás conmigo».

God listens to me any time of the day or night. I can talk to Him in the morning after I get up or in the afternoon when I am playing. I can even talk to Him at night when the only light I see comes from the moon and stars.

God likes for me to talk to Him before I eat so I can thank Him for my food. He also loves to hear my bedtime prayers right before I go to sleep. I always thank Him for my day. I say, "Thank You, God, that You never sleep and You are always watching over me. Thank You that You hear me anytime I pray!"

Dios me escucha a cualquier hora del día o de la noche. Puedo hablarle por la mañana luego de despertarme, o por la tarde al jugar. Puedo hablarle hasta por la noche cuando la única luz que veo es la de la luna y las estrellas.

A Dios le gusta que le hable antes de comer para agradecerle por mi comida. También le encanta oírme orar antes de acostarme. Siempre le doy las gracias por mi día. Digo: «Gracias, Señor, porque nunca duermes y siempre me vigilas. ¡Gracias por escucharme cada vez que oro!».

Sometimes I talk out loud to God. But He also hears me when I pray in my softest whisper. He can even hear me when I talk silently to Him, when my words are only in my head!

When I say—or think—words like, "Thank You, God!" or "Help me, God!" I can always be sure that He hears them. The Bible says He does, and I believe His Word. I say, "Thank You, God, that You can hear me even when I am talking softly, even when I talk to you in my mind."

A veces le hablo a Dios en voz alta. Pero también me oye cuando oro en susurro. Hasta puede oírme cuando le hablo en silencio, ¡cuando las palabras se quedan nada más en mi cabeza!

Cuando digo, o pienso, palabras como: «¡Gracias, Dios!», o: «Señor, ¡ayúdame!», siempre tengo la certeza de que me oye. La Biblia dice que me oye, y me fío de su Palabra. Digo: «Gracias, Dios, porque me puedes oír incluso cuando hablo muy bajito, hasta cuando solo te hablo en mi mente».

Every time I pray, God listens to and accepts my prayer no matter what kind of prayer it is. I can pray a short prayer or a long prayer. I can pray a prayer I learned in Sunday school or church, or I can make up my own prayer. I can pray alone or with other people.

God says that praying with other people is very powerful. I can also pray for others, and I can ask them to pray for me. Sometimes everyone can pray together about something that is important to them. Praying for other people is one way I can share God's love with them. I say, "Dear God, help me to pray for other people as often as I can!"

Cada vez que oro, Dios escucha mi oración y la acepta, no importa qué tipo de oración sea. Puedo hacer una oración corta o una larga. Puedo hacer una oración que aprendí en la escuela dominical o en la iglesia, o puedo inventar una propia. Puedo orar a solas o con otra gente.

Dios dice que orar con otras personas es muy poderoso. También puedo orar por otra gente y pedir que oren por mí. A veces todos pueden orar juntos acerca de algo que les es muy importante. Orar por otros es una forma de compartirles el amor de Dios. Digo: «Amado Señor, ¡ayúdame a orar por otras personas lo más que pueda!».

God watches over me and sees everything I do. He always wants me to do the right thing, but He still loves me even if I do something wrong. And no matter what, He always wants to hear from me.

If I talk to God about what I did wrong and tell Him I'm sorry, He is always happy to forgive me. He promises He will always forgive me if I ask Him to! And then He will help me learn to do the right thing. I say, "God, help me to always remember to obey my parents and to obey You too."

Dios cuida de mí y ve todo lo que hago. Siempre quiere que haga lo correcto, pero si hago algo malo, de todos modos me ama. Y, pase lo que pase, siempre quiere escuchar de mí.

Si le hablo a Dios acerca de lo malo que he hecho y le pido perdón, siempre se alegra en perdonarme. Promete que ¡siempre me perdonará si se lo pido! Y luego me ayudará a aprender a hacer lo correcto. Digo: «Dios, ayúdame a recordar siempre a obedecer a mis padres y a ti también».

Jesus is God's Son. He came to earth so everyone could know more about God. When He was living on earth, Jesus talked to God too. He said that God loves little children very much and that they can always talk to God because they are special to Him.

Jesus told people, "If you ask anything in My name, I will do it." That's why I always end my prayers with the words "in Jesus' name I pray." This doesn't mean that God will always give me everything I ask for. But if it's something good He wants me to have, He will give it to me. I say, "Thank You, Jesus, for answering my prayers."

Jesús es el Hijo de Dios. Vino a la tierra para que todos pudieran saber más de Dios. Cuando vivía en la tierra, Jesús también hablaba con Dios. Decía que Dios ama muchísimo a los pequeños y que ellos siempre pueden hablar con Él porque le son muy especiales.

Jesús le dijo a la gente: «Cualquier cosa que pidan en mi nombre, yo la haré». Por eso concluyo mis oraciones con la frase: «en el nombre de Jesús». Esto no implica que Dios siempre me va a dar todo lo que le pida. Pero, si es algo bueno que Él quiere que tenga, me lo dará. Digo: «Gracias, Jesús, por contestar mis oraciones».

Each time I pray, I believe that God hears me and that He will answer my prayers. But I need to trust God to answer in His own way and whenever He wants to. Sometimes this is hard to do! Maybe someone special to me is sick, and I want them to get better right away. Or there's something I really want, and I don't like waiting for it.

It always helps to remember that my job is to pray. God's job is to answer my prayer. So I need to do my job and let God do His job. I say, "God, help me to wait patiently for You to answer my prayers."

Cada vez que oro, creo que Dios me oye y que responderá mis oraciones. Pero tengo que confiar en que Dios conteste a su manera y cuando quiera. ¡A veces es muy difícil confiar! Quizás alguien especial para mí esté enfermo y quiero que se sane ahora mismo. O puede que haya algo que realmente deseo, y no me guste tener que esperar para conseguirlo.

En tales momentos, siempre ayuda recordar que mi trabajo es orar. Es trabajo de Dios contestar mi oración. Así que necesito hacer mi trabajo y dejar que Dios haga el suyo. Digo: «Dios, ayúdame a esperar con paciencia a que respondas mis oraciones».

I may be just a child, but my prayers have power because I am valuable to God. Even though children are small, their prayers are big in God's eyes. My prayers are so important to God that when I pray, He always comes closer to me. I like being close to God. That's why I talk to Him every day. I say, "Thank You, God, that You are close to me right now and You love to hear me pray."

Aunque solo sea un niño, mis oraciones son poderosas porque soy de gran valor para Dios. Los niños son pequeños, pero sus oraciones son grandes a los ojos de Dios. Mis oraciones le interesan tanto a Dios que, cuando oro, Él se acerca más a mí. Me gusta estar cerca de Dios. Por eso le hablo cada día. Digo: «Gracias, Dios, por estar cerca de mí en este momento y por querer escucharme orar».